LA PAROLE ET LA LOI

La Corvée

"La parole et la loi"

Prise de Parole, 1980

Prise de Parole est une maison d'édition franco-ontarienne; elle se met donc au service de tous les Franco-ontariens.

La maison d'édition bénéficie de subventions du Conseil des Arts de l'Ontario et du Conseil des Arts du Canada.

Couverture: Normand Thériault; photos: toutes les photos sont de Martin Delisle sauf la photo à la page 60 et la photo de la couverture qui sont de Paul Chiasson.

Toutes les photos sont reproduites avec la permission des photographes et des organismes qui les ont commanditées soit: La Corvée et Théâtre-Action.

C.P. 550, Sudbury, Ontario P3E 4R2

ISBN 0-920814-26-3

TABLE DES MATIERES

NOTES DU METTEUR EN SCÈNE

Le Règlement 17, loi publiée en 1912, interdisait brutalement l'enseignement en français dans les écoles de l'Ontario. Même si la résistance que la population francophone de la province a manifesté à l'égard de cette mesure trouvait ses fondements essentiellement dans une attitude nationaliste et conservatrice, elle demeure une page importante et exemplaire dans l'histoire des luttes franco-ontariennes: tout ce qui s'est passé à cette époque et depuis, jusqu'à l'actualité la plus récente, sert à prouver que rien n'est jamais acquis pour une minorité au niveau de ses droits fondamentaux, et pas davantage quand cette minorité a été co-fondatrice d'un pays.

Rappeler quelques souvenirs à ceux qui ont vécu ou entendu parler de ces quinze années de batailles, mais surtout toucher un public plus jeune, peu concerné par l'histoire des luttes scolaires, aborder aussi la situation et les attitudes actuelles des Franco-ontariens de manière critique ou autocritique, tels étaient quelques-uns des objectifs de La Corvée en montant 'La Parole et la loi'.

Le texte qui vous est présenté ici n'est ni la pièce d'un dramaturge, ni une oeuvre de littérature. C'est le produit d'un travail théâtral. Comme tel, il fait partie des éléments du spectacle, au même titre que l'aspect visuel ou rythmique. Aussi surprenant que cela paraisse, la rédaction du texte de 'La Parole et la loi' a constitué la dernière étape, presque la plus facile de notre travail. L'écriture véritable ne s'est pas faite sur une feuille de papier, mais bien sur scène, en création collective, ce qui signifie que tous, comédiens et metteur en scène, ont participé à la création et à l'élaboration du spectacle.

Devant la multiplicité et la complexité des événements historiques, sur le plan juridique, politique et religieux, il fallait trouver des moyens théâtraux pour transmettre sans ennuyer et éviter le piège de l'exposé didactique, pesant et savant.... Nous avons donc 'improvisé', à partir de chaque événement, chaque aspect qui nous paraissait important, afin d'inventer des scènes, d'en cerner contenu et forme. Après avoir ainsi élaboré un certain nombre de tableaux, il a fallu chercher leur enchaînement, trouver cohérence ou contraste, ligne dramatique et fil conducteur. Il restait alors à improviser encore, pour repréciser chaque scène, et être finalement capables de la transcrire sur papier.

Ce processus de création est souvent éprouvant et parfois très insécurisant: il exige beaucoup de la part des participants, tout en laissant un certain nombre d'incertitudes quant au résultat final.

Bien sûr, nous avons pris des libertés avec l'histoire, en la schématisant, condensant, raccourcissant. Avec les événements, en les transposant souvent. Avec les personnages historiques, en ne respectant ni psychologie, ni réalisme. Bien sûr, 'La Parole et la loi' n'est pas un document objectif, dans la mesure où il reflète les positions et les attitudes du groupe qui l'a créé. Ces libertés nous étaient nécessaires, parce que nous faisions du théâtre et non pas une thèse de doctorat, et aussi parce que nous voulions regarder passé et présent sans mélodrame, sans complaisance, et avec humour ... de préférence!

Brigitte Haentjens

LA PAROLE ET LA LOI

Cette pièce, création collective de *La Corvée,* a été créée le 14 mars 1979 sur la scène du Théâtre Penguin, à Ottawa par les comédiens: Catherine Caron, Daniel Chartrand, Robert Colin, Francine Côté, Madeleine Leguerrier et Marc O'Sullivan.

Texte: Les comédiens et Brigitte Haentjens.

Mise en scène: Brigitte Haentjens.

Musique: Normand Thériault et Robert Colin.

Chanson du début

Tous les comédiens entrent en scène avec des valises contenant les accessoires nécessaires aux changements de personnages.

1
C'est nous la Corvée on s'en vient vous jouer,
Un show qu'on a monté à Vanier.
On a écrit des paroles, d'la musique p'is du son,
On l'a mis en scène, vous verrez, c'est pas long.

2
On est ben content d'vous voir à soir,
On va vous la raconter, notre histoire,
Des temps présents, des temps passés,
Des faits connus, p'is des choses cachées.

3
On a loué un char p'is on est partis,
On a laissé nos chums p'is nos maris,
Nos femmes, nos enfants, même nos vêtements,
On est icitte, on est à *nom de la localité.*

4
On a pris la route, à travers l'Ontario,
On mange d'la poussière pour vous montrer not' show.
Attachez bien vos ceintures fléchées;
Dans un instant, ça va commencer.

Les comédiens restent en place, sauf M. Loyal qui s'avance vers le public.

Introduction de Monsieur Loyal

Personnages: Monsieur Loyal. Les autres comédiens qui se présentent en saluant avec masque ou élément de costume, chaque fois que Monsieur Loyal nomme les différents personnages de la pièce.

LOYAL *Grandiose*
Bonsoir Mesdames et messieurs: bienvenue à *nom de localité* où nous présentons, pour votre divertissement et votre érudition, la toute dernière et la plus récente création collective de La Corvée: 'La Parole et ...

TOUS
La loi'!

LOYAL
Ce soir vous aurez le plaisir et la chance de voir ces jolies demoiselles et ces beaux jeunes hommes jouer et recréer, par la magie de l'illusion théâtrale, l'histoire de notre histoire!

Pendant les prochaines 75 minutes, l'infâme Règlement 17 renaîtra, devant vos yeux, des cendres du passé et vous serez les témoins du combat épique qu'ont livré nos valeureux et héroïques ancêtres.

Oui, chers spectateurs, un combat épique, acharné, ensanglanté, une lutte sans merci qui a ravagé l'Ontario pendant 13 ans! Anglais contre Français, catholiques contre protestants, catholiques contre catholiques!

Ce soir, vous connaîtrez les forces motrices derrière cet immense carnage: l'économie, l'éducation, la politique et même la religion. Ce soir, vous pourrez voir les auteurs de ce conflit: d'un côté, Monseigneur Fallon, le fanatique, qui a semé chez les Irlandais une peur et une haine irraisonnées des Canadiens français. Son allié, Whitney, le premier ministre et son cabinet d'orangistes, qui utilisaient leur pouvoir pour anéantir les francophones.

Et de l'autre côté, venant d'Ottawa, travaillant au Conseil Scolaire Séparé d'Ottawa, l'homme qui défia le Règlement 17, notre grand héros, vous ne le connaissez peut-être pas... Sam Genest. *Applaudissements* Avec Sam, à sa place habituelle, c'est-à-dire, en tête du peuple franco-ontarien, les adversaires de Fallon, l'armée des ombres, le clergé!

Deux comédiens chantent: 'Dies irae, dies illae'.

Mesdames et messieurs, *La Corvée* s'est faite un devoir de ne pas oublier celles qui ont protégé les écoles et qui ont continué à enseigner en français malgré les forces noires de l'oppression, celles sans qui tout aurait été perdu, mesdames et messieurs, les femmes canadiennes-françaises et les institutrices!

Applaudissements compassés.

Bienvenue mesdames et messieurs, Bienvenue à .. *nom de localité.* Bienvenue au plus grandiose spectacle jamais entrepris par *La Corvée...*

TOUS
La Parole et la loi!

Ils sortent sauf trois comédiens qui forment un choeur.

Attention

trois personnes

Attention! Ça s'en vient!
Ils vont tout préparer.
Attention! Ça s'en vient!
Les pions sont sur l'échiquier.

Ça mijote, ça complote, ça parlotte. *bis*

Ils ont peur que l'Ontario
Devienne complètement français
Ils ont peur qu'en Ontario
Y'ait p'us rien qu'des étrangers.

Ils disparaissent tandis que se montre l'Orangiste.

L'Orangiste

Personnage: L'Orangiste (masque)

ORANGISTE
Nous, les Orangistes, les détenteurs de l'héritage britannique, nous étions ici les premiers, LES PREMIERS! Et nous serions très heureux de voir les étrangers, comme par exemple les Canadiens français, retourner d'où ils viennent, c'est-à-dire au Québec! Oui, il y a une centaine d'années, quand les bonnes terres ont commencé à manquer au Québec, une masse de fanatiques s'est mise à immigrer chez nous, en ONTARIO. Oh, il y en avait déjà bien sûr quelques-uns, mais jusque-là, ce n'était rien d'inquiétant. Ces énervés se sont dirigés dans le Sud, puis dans l'Est, et en fin de compte, ils se sont rendus jusque dans le Nord. Et ça se multiplie vite, ces catholiques-là, ça devient dangereux.

Ici, les maîtres, c'est nous. Ces gens-là nous dérangent. Il faut trouver des moyens pour nous en débarrasser. Ce sera peut-être long, mais nous y parviendrons.

Et ce n'est pas tout. En même temps, une famine de patates éclate en Irlande. Et les Irlandais décident de venir .. où? où? Encore en Ontario. Encore d'autres catholiques! Ces têtes rouges ont fait le même trajet que les Français, et les deux races se sont retrouvées aux mêmes places.

Les comédiens entrent en deux groupes hostiles.

C'est comme ça que tout a commencé: ils ont beau être tous de foi catholique, les Canadiens français et les Irlandais n'arrivent même pas à s'entendre!

Les deux groupes sont face à face. L'Orangiste se 'fond' à l'un des groupes.

Les bûcherons

De chacun des deux groupes, sort un comédien pour aller en avant-scène. L'un joue un Canadien français, l'autre un Irlandais. Ils coupent du bois ensemble, se lancent des injures sans se comprendre, chacun dans sa langue. Une dispute éclate sur la manière de couper, et finalement le Canadien français décide de couper l'arbre lui-même. L'Irlandais lui donne des conseils, puis des ordres, et peu à peu se transforme en gros patron du bois. Il finit en disant:

and, as our company firmly believes in equality for all, we have decided to appoint as honorary board members one Indian, one woman, and one French Canadian.

Il sort. Le Canadien français reste pendant la scène suivante comme s'il entendait intérieurement toutes les paroles.

L'usine

Tout au long de la scène, chaque comédien fait un geste mécanique de travailleur à la chaine.

UN
L'entends-tu chiâler, lui, i' a pas arrêté depuis à matin.

DEUX
Ben, i' a une job à faire, p'is i' a fait.

TROIS
Ah, ben là i' a pas d'doute, i' a fait! Mais i' m'semble que c'est toujours les mêmes qui és ont cés jobs-là. Nous aut', on est nés pour un p'tit pain.

QUATRE
Parle pour toé. J'ai pas l'intention d'travailler su' a ligne pour longtemps.

UN
Icitte, mon gars, si t'é pas anglais, tu travailles su' a ligne.

DEUX *en riant*
Maudit, tu lis pas 'é journaux? Avec la nouvelle constitution à Monsieur Trudeau. *No UN rit* Le français va être assez égal avec l'anglais, que tout l'monde va être bilingue dans vingt ans.

TROIS
Ouin, ben, les seuls bilingues qu'j'ai vu à date, c'était les Français. Penses-tu qu'son papier va changer que'que chose?

QUATRE
Ça va être la loi! *No UN rit* P'is ris pas! J'sus d'accord avec M. Trudeau moé. On va arrêter d'être Anglais p'is Français, p'is on va tous être Canadiens.

UN
Tu commences déjà à penser comme un boss....

QUATRE
J'te l'dis moé, tu vas voir, i' va y'avoir autant de boss français que de boss anglais avant longtemps. Quand on va avoir travaillé icitte depuis assez longtemps, peut-être que toé p'is moé, on s'ra boss.

Ils figent. Deux comédiennes vont en avant-scène. Les autres sortent.

Les deux petites filles

Personages: deux petites filles s'avançant pour réciter au public.

ENSEMBLE
En 1900, le système scolaire était divisé en deux catégories:

UN
L'enseignement publique, réservé à la majorité anglaise protestante,

DEUX
Et le système des écoles séparées pour les catholiques.

UN
A l'intérieur du système des écoles séparées, les Irlandais et les Français se partageaient les subventions tout en payant les taxes pour les écoles publiques.

DEUX
La loi ne permettait que l'enseignement en anglais....

UN
Sauf pour ceux qui ne comprenaient pas l'anglais.

ENSEMBLE
C'est ainsi que nos professeurs, pour la plupart des religieux, purent continuer à enseigner en français.

Elles saluent. L'une sort. L'autre s'agenouille au milieu de l'avant-scène.

Les Soeurs

Personnages: une petite fille, une soeur française, une soeur irlandaise.

Les deux soeurs entrent chacune par un côté de la scène et tout en chantant vont se placer symétriquement par rapport à la petite fille.

ENSEMBLE
Dies irae, dies illae,
Vous nous reconnaissez sans doute pas,
Pourtant ça fait beaucoup d'années,

De l'éducation on s'est chargées.

On enseigne en français à l'école.
On n'sépare pas la foi de la parole.
C'est pour l'avenir de nos enfants,
Pour qu'ils deviennent de bons pratiquants.

Mais si vous cessez de croire,
Que le Seigneur détient tous les pouvoirs;
C'est l'enfer sur vous qui tombera,
Et le protestant qui se réjouira.

FRANÇAISE
Madeleine ... Madeleine, ma belle enfant, écoute-moi. Ta place est à l'école séparée catholique française. On t'attend là-bas.

Dans la suite de la scène, la petite fille courra d'une soeur à l'autre, se laissant convaincre tour à tour par leurs arguments.

IRLANDAISE
Madeleine, Madeleine, si tu désires un avenir prospère, tu dois fréquenter une école séparée catholique irlandaise. C'est dans cette école que tu trouveras le bon chemin qui te mènera au bonheur.

FRANÇAISE
A l'école française, tu apprendras à être une bonne chrétienne car nous, les Canadiens français, avons la grande joie d'être le peuple choisi de Dieu.

IRLANDAISE
Madeleine, tu n'as rien à craindre; nos écoles sont également de foi catholique et t'aideront à vivre l'amour de Dieu.

FRANÇAISE
Tu dois aller à l'école française, sinon tu renies ton héritage, ta famille, tes amies, ta culture. Tu seras la honte du village!

IRLANDAISE
Si tu espères trouver la place dans ce pays plus tard, il te faut une éducation adéquate, c'est-à-dire, une éducation anglaise.

FRANÇAISE
Madeleine, viens te joindre à nous, sinon tu commettras un grave péché.

Ton coeur sera rempli de grosses taches noires.

IRLANDAISE
Tu sais que le français n'est que toléré en Ontario, et dans quelques années, tu devras parler anglais.

FRANÇAISE
Madeleine, écoute-moi! Si tu perds ta langue, tu perds ta foi!

IRLANDAISE
Madeleine, l'avenir en Ontario est en anglais.

FRANÇ
On t'enseignera l'anglais aussi.

IRLANDAISE
L'anglais établit la loi!

FRANÇAISE
Si tu perds ta langue, tu perds ta foi!

IRLANDAISE
L'argent est anglais.

FRANÇAISE
L'important, c'est la parole.

IRLANDAISE
C'est la loi!

FRANÇAISE
La parole!

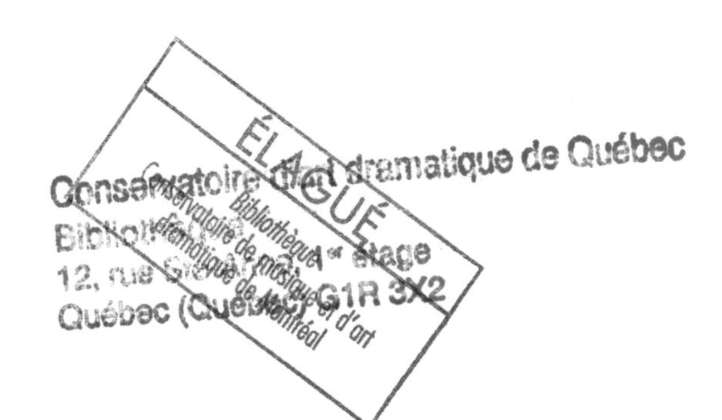

IRLANDAISE
La loi!

FRANÇAISE
La parole!

IRLANDAISE
La loi!

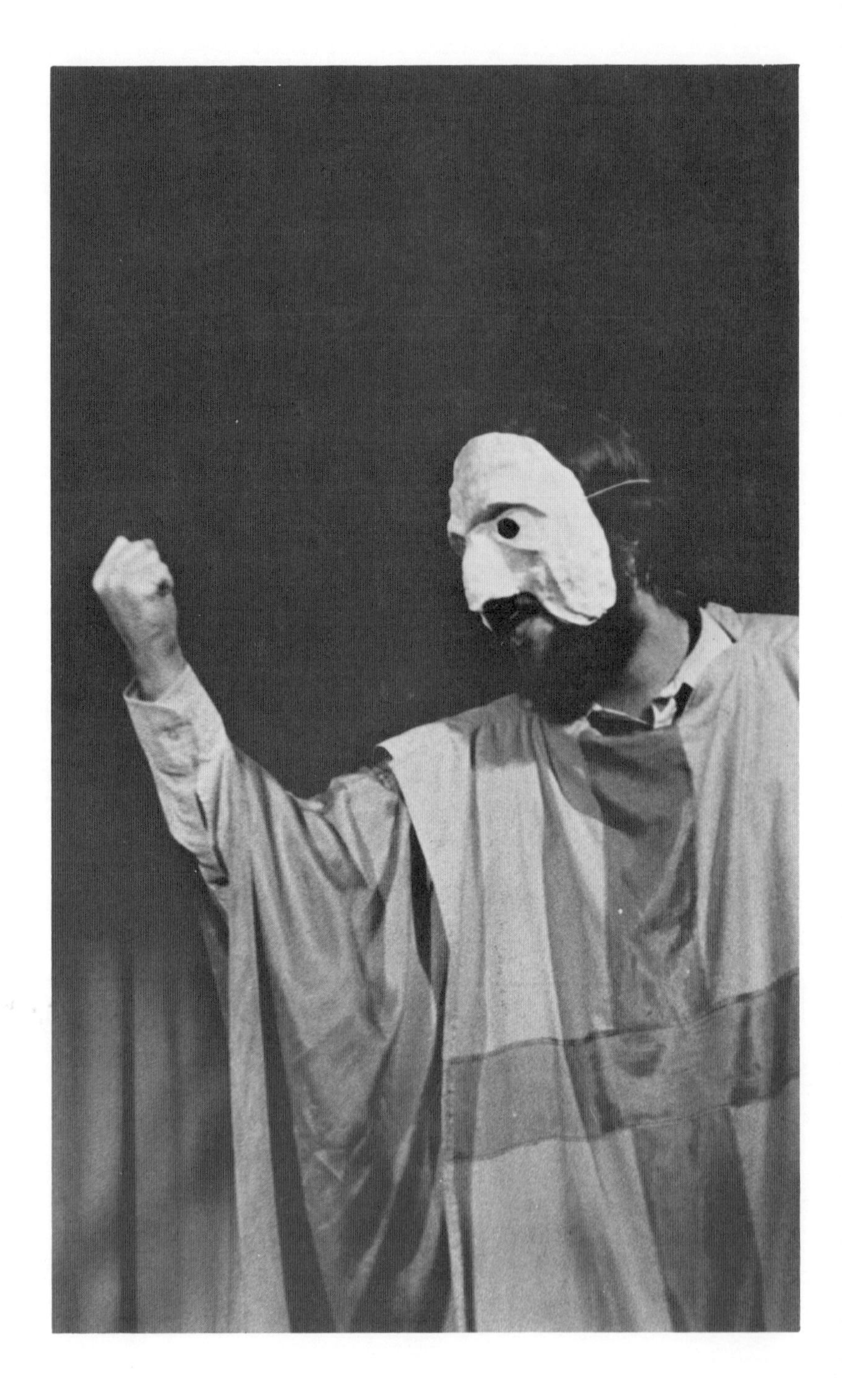

Elles sont interrompues par un son de clochettes.

Sermon de Monseigneur Fallon

Personnages: un prêtre, Mgr Fallon (masque)

PRÊTRE *entrant en faisant tinter des clochettes*
Seigneur, daignez accueillir votre serviteur, Monseigneur Michael Fallon, évêque du diocèse de London.

Il sort en même temps que la petite fille et les deux soeurs épouvantées.

FALLON *montant sur une estrade pour prononcer un sermon*
Mes bien chers frères;

En cette année 1910, mon diocèse, ainsi que toute la province de l'Ontario, souffre d'un mal profond, un mal qui ronge ce que nous avons de plus cher: notre système d'écoles séparées catholiques. Oui, mes chers frères, je parle de ces agitateurs français qui affirment que leur langue française constitue la meilleure sauvegarde de leur foi catholique; de ces agitateurs qui s'obstinent à faire valoir ce qu'ils appellent 'leur droit naturel' à enseigner en français à leurs enfants.

Le but ultime de cette agitation est de faire de l'Ontario une province française.

De plus, le régime adopté dans ces écoles empêche la jeune génération de s'élever au-dessus du niveau intellectuel de l'habitant moyen de l'Ontario, et si on laisse continuer cet état de choses, les comtés de l'Est notamment sont condamnés à devenir sur la carte de l'intelligence, un point aussi obscur que n'importe quelle partie du Québec.

Il faut résister à l'infiltration canadienne-française. Nous devons lutter contre la persécution des Irlandais catholiques par les Canadiens français, et je vous mènerai dans cette lutte.

Il n'y a pas un homme sur terre qui désire la paix plus que moi; pour l'avoir, il faut s'armer pour la guerre, et c'est moi qui serai vainqueur. Je coucherai sur le champ de bataille les agitateurs cléricaux et politiques. Je riverai le dernier clou au couvercle du cercueil du nationalisme canadien-français.

Il finit en descendant à l'avant-scène pour bénir l'assistance.

Entre le choeur, trois personnes

Attention, ça s'en vient,
Ils vont tout préparer.
Attention, ça s'en vient,
Les pions sont sur l'échiquier.

en canon

Ça mijote, ça complote, ça parlotte....

C'est l'temps des coalitions
Entre Anglais et Irlandais.
C'est l'temps où ce fou d'Fallon
Va rencontrer Whitney.

en canon

Ça mijote, ça complote, ça parlotte....

Ils sortent.

Whitney et Fallon

Personnages: le premier ministre de l'Ontario, Whitney (masque); Mgr Fallon (masque).

Whitney entre, préoccupé, et heurte presque Mgr Fallon.

WHITNEY
Ah, Monseigneur Fallon, vous êtes déjà là!

FALLON
Ah, Monsieur le Premier Ministre, je vous attendais. Comment va la politique, Monsieur Whitney?

WHITNEY
Bien, très bien. Et vous même?

FALLON
Oh moi, vous savez, le mois passé ...

WHITNEY *l'interrompant*
Charmé, charmé. Vous comprendrez, Monseigneur, que mon temps est précieux. Donc, parlons affaires. Vous savez, Monseigneur, qu'il se passe des choses très graves. Oui, une délégation de l'ACFEO est venue me voir.

FALLON
Comment?

WHITNEY
Quoi? Vous ne connaissez pas l'Association Canadienne-Française de l'Education de l'Ontario? Ces fanatiques qui réclament PLUS de subventions, UNE école de formation pour leurs professeurs, PLUS d'autonomie, et je ne sais quoi encore.

FALLON
Ah ... Ce sont eux qui nous poussent à la bataille!

WHITNEY
Le peuple protestant est fatigué de ces batailles scolaires, et mon parti tranchera la question. Le Conseil des Ecoles Séparées nous cause des problèmes, eh bien, nous l'abolirons!

FALLON
Comment? Mais ce sont eux qui ...

WHITNEY
A moins que je n'obtienne votre collaboration ... Il y aura bientôt des élections ...

FALLON
Si ce n'est que ça ... Je saurai guider mes fidèles dans la bonne voie.

WHITNEY
Dans le bon vote!

Ils rient.

WHITNEY
Alors, récapitulons. Je règlerai le French Canadian problem ...

FALLON
Pour notre vote!

Ils rient. Fallon sort. Whitney se rend vers la table au fond de la scène, où sont déjà en place les comédiens pour la scène suivante.

La secte

Personnages: le Président, Whitney, le Ministre de l'Education, deux figurants

Ils sont autour de la table, portant une cagoule noire. Un des figurants aide Whitney à enfiler, lui aussi, une cagoule.

PRÉSIDENT
Ah, Monsieur le Premier Ministre, nous vous attendions. Eh bien, je souhaite la bienvenue aux participants de cette neuvième réunion du comité électoral du parti conservateur de l'Ontario. Premier item: à savoir que le bloc irlandais catholique exige qu'il n'ait plus à partager les écoles séparées avec les Français et à savoir que, les lois de 1885 et 1890, adoptées par les gouvernements libéraux, interdisent le français dans les écoles, il est proposé que: la campagne électorale de 1911 vise à l'abolition de la langue française en Ontario. Monsieur Whitney?

WHITNEY
Monsieur le Président, Mgr Fallon, évêque de London, m'assure de l'appui du peuple irlandais pour toute action dans ce sens.

PRÉSIDENT
Merci, Monsieur Whitney. Je crois que nous avons un rapport du Ministre de l'Education.

MINISTRE
Merci, Monsieur le Président. Nous accomplirons cette promesse en nous attaquant à la source, c'est-à-dire aux écoles. Le Ministère de l'Education s'occupera de faire circuler dans la province des règlements interdisant l'enseignement en français dans les écoles de la province. Le rapport sur l'éducation dans la province rédigé par le Docteur Merchant n'est pas encore publié, mais mes sources m'indiquent que ses conclusions renforceront notre décision.

PRÉSIDENT
Alors, en faveur de cette proposition ... Pour ... Contre ... Adopté.

FIGURANT
Je propose la fermeture de cette réunion.

PRÉSIDENT
Pour ... Contre ... Adopté. Avant de partir, je tiens à vous dire M. Whitney, au nom du comité électoral, que le mouvement orangiste est fier de compter parmi les siens un homme d'Etat comme vous, et nous vous souhaitons la plus grande victoire aux élections de décembre.

TOUS
Hip ... Hip ... Hurray. *trois fois*

en chantant For He's A Jolly Good Fellow!

Ils s'avancent vers le public, puis figent. Roulement de tambour.

Les journaux

Les comédiens annoncent à tour de rôle les événements. Entre chaque date, il y a un roulement de tambour. A la fin de la scène, tous doivent être sortis, dos au public ou dans la salle.

1885 L'enseignement de l'anglais devient obligatoire dans les écoles.

1890 L'anglais devient la seule langue d'enseignement autorisée officiellement dans les écoles.

1905 Whitney et les conservateurs prennent le pouvoir.

1909 Fallon prend la tête du diocèse de London.

1910 Le premier congrès général d'éducation et la fondation de l'ACFEO.

1911 Whitney et les conservateurs orangistes sont réélus, grâce à l'appui de Fallon et des Irlandais.

1912 Le recensement indique une augmentation de la population canadienne-française.

1912 Les conclusions du rapport Merchant sur les écoles séparées déclarent que l'enseignement en français est inefficace.

13 avril 1912 Le Règlement 17 est annoncé dans toutes les écoles de la province.

roulement de tambour.

Règlement 17 et Davis

Personnages: une personne (masquée) qui lit le règlement, Bill Davis (masque).

La lecture du règlement se fait en hauteur. Bill Davis est de dos, il porte un sweater de boxe sur lequel est écrit son nom. A chacune de ses interventions, il se tourne vers le public.

RÈGLEMENT 17
Circular of Instructions 17:

– There are only two classes of Primary Schools in Ontario: Public Schools and Separate Schools.

– In the case of French-speaking pupils, French may be used as the language of instruction and communication; but such use of French shall not be continued beyond the second grade.

DAVIS
For a long time, francophones have been causing problems in Ontario. I can today say that the problem is nearly non-existent ... The repatriation of the constitution will insure that this conflict will not arise again.

RÈGLEMENT 17
In the case of French-speaking pupils who are unable to understand and speak the English language well enough:

– As soon as the pupil enters school, he shall begin the study and the use of the English language.

– As soon as the pupil has acquired sufficient facility in the use of the

English language, he shall take up in that language the course of study as prescribed for the Public and Separate Schools.

DAVIS
I shall never consider the French language as an official one. The francophones in this province are a minority just like the Ukranians, the Germans and the Indians. Therefore, they do not have the right to special demands.

RÈGLEMENT 17
The provision for instruction in French in the timetable of the school shall be subject to the approval and direction of the Chief inspector and shall not in any day exceed one hour in each classroom.

– Each inspector shall report upon the general condition of all the classes, on the forms prescribed by the Minister.

– No teacher shall be granted a certificate to teach in English-French schools who does not possess a knowledge of the English language sufficient to teach the Public and Separate School Course.

DAVIS
I find it legitimate that each province has the right and the power to decide upon such small affairs as linguistic rights of minorities. I do not want to be bothered with the ideas of the sovereignty-association when minorities in Quebec are treated in such a way that should be against the law, for it does not abide by human rights. I firmly believe that the solution should be found through National Unity.

If you believe in a new Confederation, you can believe I'm its new father.

Ils sortent. Brouhaha d'assemblée. Les comédiens sont dans la salle, comme si tout le public faisait partie de l'assemblée.

---

*Congrès de l'*ACFEO

Personnages: le meneur, le curé, Samuel Genest, trois figurants (un, deux, trois).

MENEUR
Un peu de silence, s'il-vous-plaît. De façon pratique, ça veut dire qu'il va

y avoir deux inspecteurs pour nos écoles, un français qui fait ... eh ben ... comme d'habitude, p'is un anglais protestant qui vérifie si le Règlement est respecté.

UN
Un protestant dans nos écoles? Ça s'peut pas! Qu'est-ce qu'il va connaître de l'enseignement catholique, lui?

CURÉ
Mes biens chers frères, en ce moment grave, nous avons besoin de l'aide de Dieu. Prions. Je vous salue ...

MENEUR
M. le Curé, c'est pas l'moment. J'ai pas fini. Y'a une deuxième clause dans le Règlement qui dit qu'y aurait pas plus qu'une heure d'enseignement en français par jour.

DEUX
Qui va 'timer' ça?

MENEUR
Mais c'est pas toute! Si l'inspecteur protestant le juge nécessaire, même cette heure-là sera coupée.

TROIS
Y'a l'droit de décider ça lui? Est-ce qu'i' va m'dire en quelle langue pisser!?!

rires de tous.

MENEUR
Non, mais i' pourra décider si les enseignants sont assez compétents dans l'enseignement de l'anglais, sinon il les congédie.

DEUX
Bon, ben, i' peut tous nous mettre à'porte d'abord, p'is toute suite!

SAMUEL
C'est exactement ce que notre cher premier ministre, M. Whitney, veut faire.

UN
C'tu vrai? P'is moi qui a voté pour lui!

MENEUR
Laissez parler M. Genest.

UN
J'savais pas qu'i' allait faire ça! M. le Curé, vous m'aviez pourtant dit ...

CURÉ
Là, c'est le temps de prier le Seigneur.

SAMUEL
Cette loi est une attaque contre nos écoles, donc contre notre langue et notre foi. C'est à nous, membres de l'ACFEO, de défendre ces écoles, cette langue, cette foi, qui sont les piliers du peuple canadien-français. Nous devons nous opposer à ce Règlement. Nous devons nous assurer que toutes nos écoles s'opposent à ce Règlement, que toutes les écoles barrent la route aux inspecteurs, que tous les professeurs continuent à enseigner et en français, quoi qu'il arrive! Pour ma part, je vous assure que le Conseil des Ecoles Séparées d'Ottawa prendra les devants dans cette lutte!

applaudissements.

CURÉ
Pour ma part, je vous assure que le clergé prendra sa juste place dans cette lutte, c'est-à-dire, en tête. Et je me charge d'informer personnellement sa Sainteté, le Pape Pie x, de cette injustice.

applaudissements.

DEUX
Il faut faire appel à nos frères du Québec!

TROIS
Faudrait qu'ils en parlent dans leurs journaux.

UN
Il nous en faut un, nous autres, un journal!

MENEUR
Silence, s'il-vous-plaît! Je pense qu'on sait tous qu'on a du pain sur la

planche. Demandons à Dieu le courage d'affronter les épreuves à venir. M. le Curé, voulez-vous nous bénir, nous et notre cause?

Les comédiens se divisent en deux choeurs.

La messe *Cette scène est chantée.*

Personnages: d'un côté, le Pouvoir; de l'autre, les Français.

TOUS
Alléluia! Alléluia, alléluia, alléluia! Alléééllluuiiaaaa!

FRANÇAIS
Il faut prier,
Pour lui d'mander,
De nous aider
A les repousser!

POUVOIR
Pouvoir assimiler
Ces gens mal éduquées
Il faut les écraser;
Leur apprendre à parler!

TOUS
Alléluia!

FRANÇAIS
Défendre nos droits!

POUVOIR
Ne pas leur laisser l'choix!

FRANÇAIS
Vous n'avez pas le droit!

POUVOIR
Nous avons tous les droits!

FRANÇAIS
De supprimer nos droits!

POUVOIR
Nous ferons une loi!

TOUS
Alléluia!

FRANÇAIS
Qui perd sa langue,
perd sa foi!

POUVOIR
Ce Règlement 17
est loi!

FRANÇAIS
Le Règlement, nous refusons,
Jamais n'obéirons!

POUVOIR
Nous retirerons vos subventions!
Vos écoles nous fermerons!

FRANÇAIS
De l'argent, nous en trouverons;
Au Québec, nous en chercherons!

POUVOIR
La Constitution
Nous sert de solution! AH, AH, AH.

Ils sont interrompus par un coup de cymbales et sortent.

L'éloge, la maladie, les solutions

Personnages: six comédiens.

UN *entrant avec grand fracas de cymbales. Le reste du texte sera scandé par les cymbales.* Les Franco-ontariens sont un peuple ayant une langue commune et vivante, une identité culturelle très forte. C'est un peuple qui ne se contente pas d'un passé glorieux, mais qui continue à marquer l'histoire de ses combats incessants. C'est un peuple majoritaire, en voie d'expansion. Un peuple bien intégré dans le système nord-américain; ouvert, libéré et à l'avant-garde. C'est un peuple groupé et dominé par un sentiment d'union et de cohésion sociale, économique, politique, et culturelle!

Pendant le discours, les comédiens sont réapparus, l'air harassé. Ils ont formé un cercle, dos à dos, en se tenant par les bras. A la dernière réplique, ils commencent à tirer chacun de leur côté.

DEUX
Le Salut, c'est vers l'Est!

TROIS
Non, non, j'vous l'dis, c'est vers le Sud!

QUATRE
Vers le Nouvel-Ontario!

CINQ
Non, c'est au Nord!

Finalement le cercle est brisé. Ils sortent de scène.

UN *surpris de ne plus voir personne* Mais où c'qu'i' sont partis? You-hou! Ah, non, dis-moi pas qu'i' sont disparus eux-aut' aussi! Mais voulez-vous m'dire où c'ést qu'i' vont tous les Franco-ontariens? C'est grave! L'année passée, y'en a 15% qui sont disparus. Cette année, 15% de plus. Si ça continue d'même, i' en aura p'us. L'pire, c'est qu'on sait pas c'qu'i' d'viennent. On a beau faire des enquêtes, des études, des rapports, on n'a pas encore résolu le mystère!

Les comédiens entrent et vont se placer en file indienne derrière UN, en suivant chacun de ses déplacements. UN ne les 'voit' pas.

Y'a plusieurs théories. Y'en a qui disent qu'c'est un complot, d'autres qui s'font enlever par des soucoupes volantes. Mais y'a jamais personne qu'a demandé une rançon! Ça peut p'us continuer d'même. Faut les trouver, les Franco-ontariens!

UN fait semblant de sortir et va se mettre en queue de la file indienne. Chacun des comédiens fera la même chose, à la fin de sa réplique.

DEUX
Moé, mon problème, c'est que les livres en français coûtent trop chers!

TROIS
Bon, pour moé, là, la bonne musique, c'est en anglais! La musique française, c'est plate! Comment veux-tu que j'danse le disco sur du Robert Paquette?

QUATRE
Moi, mon problème c'est que mon chum est anglais, p'is j'suis en train de m'assimiler; p'is j'aime ça!

CINQ
Moi, c'est assez simple. J'ai commencé à travailler comme secrétaire au gouvernement. Mon patron est anglais, alors i' a fallu que j'apprenne la sténo et la dactylo en anglais.

UN
Ça commencé quand j'étais toute petite, j'suis devenue addictée aux films de Walt Disney. En grandissant, c'est devenu pire. J'avais beau me forcer, je n'aimais que les films et les programmes en anglais. I' étais toujours excitants. I' avaient l'air d'avoir tellement d'fun que je me suis dit que si j'étais anglaise, j'aurais une vie tellement plus intéressante.

SIX
Mon père est français, ma mère est anglaise: que c'ést m'a faire!?!

QUATRE
Non, il n'est plus nécessaire de souffrir de cette façon. Le Comité des Francophones Contre le Français vous offre, gratuitement, la solution: l'assimilation! Oui, chers francophobes, nous sommes tous voués à l'assimilation tôt au tard, alors, allons-y aux toasts! Devenez membre du C.F.C.F., et vous recevrez, en échange pour votre langue, notre pamphlet 'Assimilate or Die', qui vous explique comment vous assimiler, vous et votre famille en 12 étapes faciles et pratiques.

Alors, n'oubliez pas, on va s'assimiler de toute façon, allons-y aux toasts!

CINQ
L'heure est grave, mais y faut pas aller si loin. Faut trouver un groupe qui est aussi perdu que nous autres; les Indiens par exemple. Eux aussi, i' ont des problèmes, mais au moins, i' ont du terrain. C'qu'il faut faire, c'est aller vivre dans les réserves avec les Indiens!

DEUX
Non! Non! Je l'ai moé. C'qu'i' faut faire là, c'est s'embarrer chez nous! Mettez du papier noir sur les fenêtres! Cassez votre stéréo, votre télévision, votre radio! Parlez à personne pour 25 ans! Ça va être plate, mais au moins, vous vous assimilerez pas!

UN
Y'a pas d'quoi s'énerver. La solution est simple et efficace. Ça f'ra pas mal. Tout ce qu'i' faut, c'est un bon mélange de Kool-Aid au raisin avec un peu de cyanure dedans. On s'en apercevra même pas. P'is là, les Anglais vont avoir un gros suicide collectif sur la conscience. Rappellez-vous le suicide de Jones Town! Ça faite les nouvelles internationales, p'is on en parle encore! C'est la meilleure façon d'attirer l'attention sur not' problème!

TROIS
I' faut tout' tuer les Anglais! I' faut les torturer, jeter de l'acide sur leurs visages, arracher leurs ongles! I' faut écraser leurs bébés, kidnapper leurs femmes et leurs enfants!

Une voix dit: 'What are you saying?' Et TROIS se sauve avec grande peur.

SIX *très calme* Vous en avez marre de vous faire dominer par la race inférieure anglaise? L'assimilation, ça vous fait peur? Etes-vous tannés de vous faire mett'? Venez au Québec! Si vous agissez dès maintenant, vous recevrez par le courrier votre citoyenneté québécoise qui vous donnera une chance de gagner un cours intensif 'Comment devenir Québécois en six mois' payé par le gouvernement du Québec. En temps normal, ça vous prendrait 3 ans pour obtenir une citoyenneté reconnue.

Car, après tout, vous n'avez même pas de culture! N'oubliez pas la devise de tout bon Québécois:

'Au Québec, ce sont les Anglais qui s'assimilent!'
'Québec, la belle province!'
'Je me souviens!'
'On est six millions, p'is on s'fend l'cul en quatre!'
Agissez dès maintenant. Venez au Québec ...

Pendant la dernière partie, les comédiens chuchotent à SIX.

Psst ... Psst ... O.K. c'est fini ... c'est l'épique ... r'garde ton texte ... arrête ... c'est l'épique.

SIX
Ahh, oui, oui, correc'.

Il va se mettre en place pour commencer sa narration.

L'épique

Cette scène nécessite deux lieux scéniques. Un pour représenter l'école, l'autre le sous-sol de l'église.

Personnages: le narrateur, les soeurs Desloges: Diane et Béatrice (elles portent chapeaux et épingles), l'Orangiste Dennis Murphy, Arthur Charbonneau, Samuel Genest, M. Bélanger, les femmes canadiennes-françaises, deux institutrices anglaises et un policier.

NARRATEUR
O, Ontariens, Ontariennes, vous du peuple choisi. Voyez maintenant se dérouler devant vous le drame de la bataille de l'école Guigues! Vous y rencontrerez nos nobles héros nationaux tel Samuel Genest, et les soeurs Desloges. Vous tremblerez devant les ennemis de notre noble race, devant Arthur Charbonneau, traître à sa race, et son maître, l'infâme Orangiste, Dennis Murphy.

En cette année de 1915, les soeurs Desloges, Diane et Béatrice, se consacraient à leur tâche. Remarquez la gaieté de leur geste.

Chaque fois que le narrateur nomme des personnages, ceux-ci apparaissent pour 'illustrer' la scène.

LES SOEURS DESLOGES *enseignant dans leur classe*
A, B, C, D,

NARRATEUR
Malgré l'odieux Règlement 17, elles persévéraient à enseigner à leurs 81 élèves. Ah, malheur! Ni elles, ni leurs étudiants ne se doutaient du désastre qui planait au-dessus d'eux.

DESLOGES
Nous ne nous doutons pas du désastre qui plane au-dessus de nous! N'est-ce pas, les enfants?

NARRATEUR
Un matin, les soeurs Desloges reçurent la visite de Murphy, l'infâme Orangiste, qui tint ces propos:

MURPHY
Maintenant que, sous le Règlement 17, vous n'êtes pas qualifiées pour l'enseignement en anglais, en tant que Président de la Petite Commission, je vous somme de quitter les lieux!

NARRATEUR
LA PETITE COMMISSION! Ce comité d'ignobles traîtres qui présumaient prendre la place du bon et noble Conseil des Ecoles Séparées d'Ottawa. Mais les soeurs Desloges, Diane et Béatrice, leur devoir divin primant tout, ignorèrent cette menace, car elles savaient que, de céder serait de tout perdre.

DIANE
Béatrice, céder serait de tout perdre!

avec Béatrice A, B, C, D...

NARRATEUR
Le deuxième jour, Murphy l'Orangiste revient et leur remit un message. Ah, le lâche! Il manigançait ses sombres machinations! Diane dit à Béatrice:

DIANE
Béatrice, i' veulent qu'on sorte d'l'école Guigues. On peut pas laisser des Anglaises prendre notre place.

NARRATEUR
Et Béatrice répondit à Diane:

BÉATRICE
Diane, M. Genest nous a dit de rester. Moé, j'bouge pas d'icitte!

NARRATEUR
Et Diane de faire:

DIANE
Mais ... si i' nous jettent en prison?

BÉATRICE
Crains pas! I' oseront pas toucher à des femmes!

NARRATEUR
... répondit Béatrice. Et elles continuèrent leur divin travail, enseignant en français, cette noble langue, ce jargon des dieux, à leurs 81 élèves, l'espoir de notre race. Elles avaient le coeur lourd.

LES SOEURS DESLOGES *avec crainte*
A, B, C, D...

NARRATEUR
Le troisième jour, Murphy, l'infâme Orangiste, n'eut pas le courage de se montrer la binette en personne. Non, ce chien fit livrer la missive fatidique par un messager de la Canadian Pacific Telegrams. Les soeurs Desloges tremblaient en lisant le papier. Tel fut leur émoi, qu'elles ne laissèrent pas de 'tippe' au messager. Diane dit alors:

DIANE
I' faut avertir M. Genest au plus maudit! Va chez l'épicerie à M. Bélanger emprunter le téléphone!

BÉATRICE
Ah, si seulement M. Genest était ici!

Samuel Genest apparaît en héros.

SAMUEL
Ne craignez rien, Mesdemoiselles Desloges! Laissez-moi porter mes yeux sur ce torchon!

NARRATEUR
C'était Samuel Genest! Notre père à nous tous, lui qui savait guider nos destinés!

SAMUEL
Ah, le chien sale! Il nous commande de sortir de l'école. Jamais l'heure ne fut aussi noire pour nous et notre cause. Ah, misère, je reconnais ici la griffe du traître, Arthur Charbonneau, lui qui est maintenant au service du diable orangiste!

NARRATEUR
Son noble front coulait de sueur. La Cause était-elle perdue?

SAMUEL
Non!

NARRATEUR
Dieu, notre Seigneur nous avait-il oubliés, nous, son peuple choisi?

SAMUEL
Non! Ils ne nous auront pas aussi facilement. Il nous commandent de sortir? Eh bien, soit! Diane et Béatrice, vous prendrez vos élèves, et vous irez continuer les cours dans le sous-sol de l'église. Les Anglais nous chassent de notre propre école, mais ils ne vainqueront pas! Aussi longtemps que la vie habitera ma poitrine ...

NARRATEUR
Sur ce, ils partirent.

SAMUEL
Aussi longtemps que mes yeux verront l'espoir ...

NARRATEUR
Et ils PARTIRENT.

SAMUEL
Aussi longtemps que ...

NARRATEUR
ET ILS PARTIRENT!!!

SAMUEL
Ok, ok, correc'.

Il sort.

NARRATEUR
Bon ... C'est ainsi que deux institutrices anglaises entrèrent à l'école. Mais elles trouvèrent les classes vides.

INSTITUTRICE *avec un accent anglais*
Nous trouvons les classes vides!

NARRATEUR
Or donc, pendant 2 mois, elles se tournèrent les pouces, jouaient au crib, au 500, à la grange et au paquet voleur. Entretemps, les soeurs Desloges, privées de salaire, recevaient l'aide généreuse de tous, particulièrement du marchand Bélanger, ce commerçant au noble front, ce parangon des vertus bien canadiennes-françaises...

BÉLANGER
Aye! Wô là chum! C't'à not' tour de parler-là. Bon ... ben Diane et Béatrice là là, vous savez qu'on pourra pas vous payer comptant. Mais moé, j'vous fournirai en farine p'is en viande, Lacasse va vous fournir en charbon, p'is si vous avez d'la couture à faire faire-là, ben, ma femme est à votre service.

BÉATRICE
Ah, merci M. Bélanger, vous l'savez, ça fait 2 mois qu'on enseigne dans le sous-bassement de l'église, mais, jusse entre nous-là, ça s'ra pas pour longtemps.

BÉLANGER
Comment ça?!

NARRATEUR
Eh oui! Comme de fait, l'attaque se préparait. Le 5 janvier 1916, le destin avait choisi ce jour pour l'immortelle bataille de l'école Guigues. Le matin du jour fatidique, le traître Arthur Charbonneau et douze policiers attendaient de pied ferme devant l'école.

Arthur Charbonneau entre en scène avec un policier.

Oui, oui, je l'sais, y'en a rien qu'un. Mais essayez d'emporter douze polices en tournée avec not' budget! Donc, comme je disais, Charbonneau et les douze policiers attendaient à l'école. Leur arrogance disparaissait en entendant venir au loin les légions de femmes canadiennes-françaises. Charbonneau tremblait en entendant les talons hauts cogner sur la neige. L'heure était grave. Le temps était venu! Les deux camps s'affrontaient:

FEMME
Envoye, Charbonneau, tasse-toé, parce que nous aut', on passe!

CHARBONNEAU
Mesdames, vous savez que ce que vous faites est illégal. Soyez raisonnables-là, p'is r'tournez à vos poêles p'is vos fourneaux-là.

UN
Maudit goret, Charbonneau, as-tu besoin d'une douzaine de polices pour te défendre contre des femmes?

DEUX
Ah, Gertrude, fatigue-toé pas, tu vois ben qu'c'est pas un homme, c'est une lavette!

Les femmes rient.

CHARBONNEAU
Aye! Ecoute-là, ma grosse vache, si t'avances encore...

DEUX
Si on avance encore quoi?

CHARBONNEAU
J'vous jette en prison, p'is toé la première!

FEMME
A l'assaut!!!

Les femmes tirent leurs épingles à chapeaux et commencent à escrimer.

NARRATEUR
Et c'est ainsi qu'a eu lieu la légendaire bataille de l'école Guiges! Il y eut quelques escarmouches par la suite, mais les femmes, ayant investi et occupé l'école, elles repoussèrent toute tentative avec leurs redoutables épingles à chapeau. Cette scène fut répétée aussi à Green Valley, sur le fleuve, et dans le sud, à Sandwich, et à la porte de toutes les écoles de campagne, les femmes montaient la garde. On connaît la suite: la bataille gagnée, on s'endormit pour 60 ans.

Pendant la fin du discours un des comédiens commence à pleurer.

NON!

Les comédiens jouent leur propre rôle.

Personnages: Bob, Daniel, la Troupe.

DANIEL
Non! Non! Non! J'en peux p'us, j'en peux p'us...

TOUS
Quoi? Que c'ést qu'y a?

DANIEL
Ahhh! Non, non c'est rien.

BOB
Envoye, assis-toé là, repose-toé, j'comprends que t'es fatigué...

DANIEL
C'est plus que ça. Ah, j'déprime, c'te maudite scène-là, a'm'déprime assez, j'en peux p'us.

BOB
Envoyez vous aut' là, partez. *Ils sortent.* Mon pauv' Daniel, qu'est-ce qu'i' s'passe?

DANIEL
WAAAAAAHHHH!!! J'en peux p'us.

Il va s'accrocher à un spectateur.

BOB
Oui, oui, dis-moé ça-là. Raconter ses problèmes à quelqu'un, ça l'aide toujours. Envoye, qu'est-ce qu'alle a, cette scène-là?

DANIEL
Ben, c'est jusse que ... que ... on fait toujours des scènes du passé, p'is dans l'passé, ça s'passait assez ben. Tu savais toujours à qui t'avais affaire, tu savais la différence entre EUX et NOUS. C'tait tellement simple. Mais là ... là, on sait p'us contre qui on s'bat!

BOB
Voyons donc, Daniel, tu l'sais ben que c'est contre le pouvoir, contre le gouvernement.

DANIEL
Ahhhh! Non! C'est p'us d'même! Tu l'sais ben que j'ai toujours essayé d'être un bon Franco-ontarien, un bon Canadien français, un bon Canadien bilingue. J'me suis joint à toute, TOUTE! A l'Institut Canadien-français, l'Institut Culturel Canadien-français, l'ACFO, la ROCFO, l'AEFO, la FESFO, la CCFHQ, toute! J'veux faire mon devoir, être fidèle à mon peuple, à ma race, à ma nation en continuant la lutte, la bataille, le combat pour la cause! J'fais toute ce qu'i' m'disent de faire, j'parle en français dans les magasins, j'signe des pétitions, p'is ... Bob ... les études sur les Franco-ontariens, j'les ai toutes lues!!!

BOB
T'és a toutes lues!!!

DANIEL
TOUTES!!!

BOB
Ah, ben, y'a pas à s'demander pourquoi tu déprimes de même!

DANIEL
P'is c'est pas toute, hein! C'est que, tu vois, on lutte contre le pouvoir, mais c'est lui qui nous ... nous ... nous subventionne! Waahhhhhh! J'veux m'en aller à Montréal!

BOB *lui donne une claque dans la face.*
Prends sur toé-là! Fais un homme de toé!

DANIEL
Ah, merci, j'en avais besoin.

BOB
Mais, ça fait depuis quand que tu te sens de même? Ça dû quand même faire un bout d'temps que ça s'prépare, pour que tu craques tout d'un coup comme ça.

DANIEL
Wahhhh! Bou-hou-hou! BOB! Oui, oui, j'm'en rappelle là, j'me rappelle

du jour où ça l'a commencé. J'avais quinze ans. Ah! Pourquoi, pourquoi? J'étais un jeune comme les autres, ni mieux, ni pire. La vie était belle. J'm'en souviens, ça l'a toute commencé un jour, au souper chez nous. Papa, i' voulait écouter le Téléjournal, mais moé ... moé ... j'voulais voir Star Trek!

Daniel va rejoindre les autres comédiens déjà en place autour de la table dans le fond, pour la scène de famille.

La famille

Personnages: le père, la mère, le ti-gars, une grande soeur et une petite soeur.

Le père ouvre la télévision.

PÈRE
Fermez-vous, j'écoute les nouvelles.

TI-GARS
Aye, papa, c'est l'heure à Star Trek!

PÈRE
On vas pas r'commencer c't'histoire-là, j'écoute les nouvelles!

TI-GARS
Ah, maudit, on est toujours pognés avec les nouvelles en français, c't'assez plate.

GRANDE SOEUR
Surtout Radio-Canada, j'comprends jamais rien. Quand est-ce qu'on va avoir le câble, Dad?

TI-GARS
Ouin? *Pause* Aye môman, passe-moé les crackers.

MÈRE
Ça fait combien de fois que j't'le dis, c'est pas des crackers, c'est des biscuits soda.

TI-GARS
Ah, des biscuits soda d'abord; du moment qu'on s'comprend.

PÈRE
Où c'est qu'tu prends ça, on t'a pas élevé de même.

TI-GARS
Ben, quand j'dis biscuits soda à l'école, i' risent de moé.

GRANDE SOEUR
Ça c'est vrai, c'est comme beurre d'arachide.

MÈRE
On dit pas risent, on dit rient.

TI-GARS
T'ens vous voyez-là, à chaque fois qu'j'essaye de parler français, vous me r'prenez. A quoi ça sert le français?

PETITE SOEUR
Pour pouvoir me parler, pasque j'parle pas anglais.

TI-GARS
Nâââ, t'assez dum toé. Toé, papa, tu parles même pas en français à ton boss.

PÈRE
Ben, si j'veux travailler, j't'obligé d'parler en anglais. Mais à maison, j'veux entendre du français.

TI-GARS
C'est ben plus simple parler en anglais; les bons programmes à tivi, les films, la radio, la musique, toute est en anglais!

GRANDE SOEUR
Mes cours sont presque tous en anglais. P'is à part de ça, si j'me trouve une job comme secrétaire, ça va être en anglais.

PETITE SOEUR
C'est pas vrai, c'ést dur l'anglais. Moé, j'comprends jamais rien dans ces cours là.

TI-GARS
Nâââ, t'assez dum toé.

MÈRE
Quoi? T'aimes p'us ça jouer au ping-pong au centre culturel de l'ACFO?

TI-GARS
Ah, c't'assez square là, tout c'qu'i' ont comme musique, c'est du maudit Gilles Vigneault, p'is du maudit Félix Leclerc.

GRANDE SOEUR
Ça s'danse pas?

PETITE SOEUR
C'est qui ça, Félix Leclerc?

TI-GARS
Nâââ, t'assez dum toé. En tous cas, moé p'is mes chums, on s'tient p'us là.

MÈRE
Tu vas p'us au centre culturel, où tu vas d'abord?

TI-GARS
Ben, on va chez Brian.

PÈRE
C'est qui ça, c'monde là?

GRANDE SOEUR
C'est l'frère de sa 'girlfriend'!

TI-GARS
Nâââ, t'assez dum toé. C'est ma nouvelle gang, p'is on écoute du Credence Clearwater Revival, p'is du Led Zeppelin, p'is...

PÈRE
Tu t'tiens p'us avec les p'tits Ménard?

TI-GARS
Ah, non, i' sont assez square eux-aut'.

GRANDE SOEUR
Ben, c'ést toé qui a commencé la chicane!

PÈRE
Tu vas-tu arrêter d'dire c'te mot-là? Toé, mon gars, tu commences à mal tourner. Mon père s'est pas battu pour que tu parles en anglais, p'is moé, j'me suis pas battu pour que tu parles en anglais!

TI-GARS
Here we go again!

GRANDE SOEUR
J'l'ai entendu à l'école c't'histoire-là.

MÈRE
Un peu d'respect pour votre père.

PETITE SOEUR
Tu vas-tu nous raconter une vraie histoire, papa?

TI-GARS
Ah, j'l'ai assez entendu c't'histoire-là, j'la connais par coeur.

PÈRE
Ben, tu l'as pas assez entendu à mon goût! Tu sauras, mon garçon, qu'on s'est battu pour ton école, p'is on s'est battu pour ton centre culturel. Comme mon père s'est battu pour moé. J'm'en rappelle, j'étais tout petit, quand ma mère partait monter la garde à l'école Guigues, p'is mon père allait à ses réunions d'la Patente. J'm'en souviens, c'était en 26 ou 27 qu'i' ont défait le Réglement 17. On a finalement eu nos droits. Finalement, ils l'ont supprimé. Finalement, on a obtenu la VICTOIRE!

Le père a progressivement monté la voix pendant le dernier paragraphe. Au mot final de 'Victoire', tous se lèvent pour la prochaine scène.

Chanson de victoire

Tout en chantant les comédiens se rendent en avant-scène, face au public.

REFRAIN
Victoire! Ils ont supprimé l'Règlement 17,
En cette belle année 1927.

On s'est battu et on a gagné,

Les Franco-ontariens sont sauvés.

1
Pourtant ils l'avaient fait valider
Jusque chez la reine en conseil privé.
Pourtant i' avaient dit que c'était légal,
Qu'il n'y avait rien de plus normal.

REFRAIN

2
I' l'ont supprimé le Règlement;
Dire qu'on se battait depuis déjà 15 ans,
Bien sûr i' l'ont vraiment pas annulé;
Ça se fera dans une vingtaine d'années.

REFRAIN

3
On a sauvé nos écoles séparées,
Autant dire qu'on a tout gagné.
Nos enfants resteront canadiens-français
On est vainqueur et on va l'rester.

REFRAIN

On s'est battu et on a gagné,
Les Franco-ontariens sont sauvés.

Pendant le dernier refrain, apparaît derrière les comédiens et en hauteur un comédien masqué qui éclate de rire.

Scène des non

A chaque revendication présentée face au public, le comédien masqué qui représente le ministre répond: 'Non.' *Le rythme doit aller en s'accélérant pour que les* 'non' *coupent de plus en plus tôt les phrases.*

– M. le Ministre, on exige des services hospitaliers en français...

– M. le Ministre, il est essentiel d'avoir notre conseil scolaire homogène...

– M. le Ministre, vous ne pouvez pas couper les subventions pour le cinéma...

– M. le Ministre, arrêtez les rénovations urbaines qui détruisent *Ici, selon la région, on nomme* 1 la basse ville d'Ottawa, 2 le Moulin à Fleur de Sudbury, 3 la paroisse du Sacré-Coeur à Toronto...

– M. le Ministre, vous nous aviez promis que le français serait une langue officielle en Ontario...

– M. le Ministre, pouvons-nous exprimer notre opinion dans le débat constitutionnel...

– M. le Ministre, faites cesser la spéculation privée et gouvernementale sur nos terres à Prescott-Russell...

– M. le Ministre, l'application de la loi pour nos écoles secondaires françaises...

– M. le Ministre, pourrons-nous participer à la gestion de *Ici, selon la région, on nomme* 1 IVACO à l'Orignal, 2 la Spruce Falls Power & Paper à Kapuskasing, 3 l'Atlas Steel à Welland...

– M. le Ministre, nos services juridiques en français...

– M. le Ministre, pouvons-nous...

– M. le Ministre, il faut...

– Aye, Bill, comment ça va...

– M. le Ministre...

– Monsieur...

Le Ministre crie: NON, NON, NON. *Les comédiens reprennent* 'NON, NON, NON' *et progressivement se mettent à danser.*

La disco

sur l'air de 'Stayin' Alive'

TOUS
Moé, j'm'en fous, moé, j'm'en fous!

Les comédiens dansent comme en disco, puis disparaissent, sauf une comédienne qui reste sur la scène.

Le français...

une petite fille seule sur la scène

C'est un F, un R, un A,
C'est un N, un C cédille,
C'est un A, un I, un S,
C'est un C, une apostrophe,
C'est un E, un S, un T,
C'est un L, une apostrophe,
C'est un F, un U, un N

Rassemblez toutes ces lettres,
Ça donne:

LE FRANÇAIS C'EST L'FUN!!!
Elle sort.

Les femmes

Personnages: Desneiges, la femme de l'école Guigues; Noëlla, la femme de Sturgeon Falls et Marianne, la femme de 'C'est l'Temps'.

entre Desneiges à l'avant-scène

DESNEIGES
Seigneur, que la terre est basse de c'temps-là. Quand je r'garde ma voisine protestante-là, j'la trouve ben chanceuse. Un p'tit à tous 'és trois ans, p'is encore! C'est rien qu' pour dire, hein, quand t'es d'une religion différente...

Ben, nous aut', c'est la revanche des berceaux qu'ils l'appellent de c'te temps-là. Si on en perdait pas tant, ça s'rait pas si pire. Moé, j'ai accouché 13 fois, p'is j'en ai dix de vivants! J'sais pas c'qui va arriver c'te fois 'citte.

Ah, ben, coudonc, j'devrais pas tant chiâler. Comme dit M. le Curé, plus t'as d'épreuves sur terre, moins tu vas passer d'temps au purgatoire. Ha! J'cré ben que j'vas aller au ciel direct moé. J'pourrai pas en dire autant de ma voisine.

NOËLLA
Mon Dieu, madame, déjà à votre onzième, c'ést-tu effrayant! Comment vous faites? J'en ai 5 p'is j'arrive juste. Ça doit être vrai que les femmes étaient plus fortes dans vot' temps.

MARIANNE
Ben, à avaient pas l'choix. La pillule était pas inventée. Moé, j'commence ma carrière, p'is j'ai pas l'intention d'avoir des p'tits prochainement.

NOËLLA
Coudonc, Desneiges, entre accouchements, vous deviez pas avoir grand temps à vous autres. Nous aut', au moins, on peut s'débrouiller; on a des laveuses à vaisselle, des machines à laver, p'is des sécheuses. Maintenant que mes enfants sont à l'école, j'ai le temps de m'intéresser à autre chose. Comme, par exemple, j'fais partie des Femmes Canadiennes-françaises. J'te dis qu'on est active! On a même occupé l'école secondaire à Sturgeon Falls!

MARIANNE
Ah oui? Vous étiez dans la bataille des écoles françaises dans l'nord? I' paraît que vous étiez une centaine à occuper l'école pour toute une semaine!

NOËLLA
Ben, moé, j'suis pas restée pendant une semaine: j'venais préparer les déjeuners tous les matins pour les étudiants. P'is j'ai même couché dans le gymnase avec ma plus vieille, un soir. Vous avez certainement entendu parler de l'affaire avec les polices. Ben, j'étais là, cet après-midi-là. C'était assez beau de voir ça. Y'avait deux cents élèves, ou à peu près, assis à terre dans l'entrée de l'école. Tu peux être sûre que les policiers ont rebroussé chemin!

DESNEIGES
Vous vous êtes battues contre les polices? Nous autres, on s'battait pour qu'y en ait p'us de batailles comme ça. Même qu'on les a repoussés avec nos épingles à chapeau!

MARIANNE
Des épingles à chapeau? C'est quoi ça?

NOËLLA
J'te dis qu'i' avaient pas que les moyens de s'battre eux-aut'. I' portaient des grands chapeaux sur le haut d'leur chignon-là, i' portaient une grosse épingle au travers pour que ça tienne. Nous aut', on porte même p'us de chapeau quand on va à messe.

MARIANNE
On y va même p'us à messe!

DESNEIGES
Quoi? Mon doux Seigneur! Ben, en tout cas, on les a pris par surprise, parce que, bien sûr, i' osent pas toucher à des femmes.

MARIANNE
Ben, de nos jours, i' osent nous toucher ... j'ai même passé une nuit en prison.

DESNEIGES
Mon Dieu, qu'est-ce que vous avez faite?

MARIANNE
C'était tout planifié. J'faisais partie d'un mouvement, le mouvement 'C'est l'Temps', qui réclamait justice pour les Franco-ontariens. Dans l'fond, on a rien fait de mal, on a juste refusé de payer une contravention écrite en anglais. C'était une forme de protestation, un geste symbolique!

DESNEIGES
Une contravention symbolique? I' m'semble que c'est compliqué. Pour nous aut', l'important c'était que nos enfants apprennent le français à l'école.

NOËLLA
A l'école primaire, ma pauv' p'tite madame, c'est rendu ben plus évolué que ça. On s'bat pour des écoles secondaires. Si i' fallait qu'y'ait rien que des écoles primaires, nos enfants parleraient pas français pantoute.

DESNEIGES
Vous avez des écoles secondaires? Y'a p'us d'problème, coudonc, j'suis rendue au ciel!

MARIANNE
Madame, c'est ben beau de s'battre pour des écoles françaises, mais i' faut aller plus loin. Ben t'ens, saviez-vous qu'on peut même pas rédiger notre testament en français, ici, en Ontario?

NOËLLA
Vous m'avez l'air ben impliquée. Vous trouvez pas que ça vous demande un peu trop? Qué c'ést que votre mari pense de ça?

MARIANNE
J'en ai pas de mari, j'suis accotée. P'is, ça fait partie de mon emploi d'être impliquée comme je l'suis...

NOËLLA et DESNEIGES
C'est pas du bénévolat que vous faites?

MARIANNE
Non, nous aut', on est subventionnées.

DESNEIGES
Subvent... quoi?

MARIANNE *en riant*
En gros, c'est le gouvernement qui nous donne de l'argent pour qu'on se batte contre eux autres.

NOËLLA
I' vous donnent de l'argent pour ça? Aye, j'ai assez aimé occuper l'école. J'aimerais ça avoir une job de même! J'pourrais-tu entrer avant 5 heures, faut que j'fasse le souper?

MARIANNE
Coudonc, vot' mari i' est-tu infirme? I' peut pas faire son souper lui-même? C'est pas jusse aux femmes de faire ça, c'est pris de vot' temps!

NOËLLA
Ben, d'abord, on peut-tu être subventionnées pour le ménage p'is avoir des p'tits?

DESNEIGES
Ah, non! On r'commence pas la revanche des berceaux!!!

Elles figent puis sortent quand la scène suivante est commencée.

Les chevaux

Personnages: deux 'chevaux' (un et deux) et deux Anglais (un et deux) Masques

Les comédiens entrent comme des 'chevaux', en s'ébrouant et en criant.

CHEVAUX
FANATIQUES ... FANATIQUES ... C'est rien qu' des fanatiques!!!

CHEVAL UN
Moé, j'te l'dis-là, des fanatiques, c'est rien qu' bon pour brasser à marde!

CHEVAL DEUX
Tu l'as dit! Moé, j'm'arrange ben avec mes voisins anglais. Maudit, quasiment tous mes chums sont anglais. Même ma femme est anglaise!

CHEVAL UN
Ouin, t'as ben raison. Moé, là, j'plains assez le pauv' monde qui connaissent rien qu' le français, i' s'coupent d'un monde! P'is, si i' sont pas contents, i' ont qu'à aller au Québec.

CHEVAL DEUX
Tu l'as dit! Même que moé, des fois, j'm'arrange mieux avec les anglais qu' les français.

CHEVAL UN
Ben, c'est ça! P'is à part de ça, hein, ces fanatiques-là, i' veulent jusse faire fâcher les anglais.

ANGLAIS UN
Come here boy!

ANGLAIS DEUX
Come on! Giddyap.

Les Anglais grimpent à califourchon sur les 'chevaux'.

CHEVAL UN
Bon ... ben comme ça, j'te rencontre pour une bière après l'ouvrage?

CHEVAL DEUX
Ouin ... P'is rappelle-toé de c'que j'dis: plus tu brasses d'la marde, plus ça pue!

Ils sortent, les Anglais sur le dos. Entre Monsieur Loyal.

L'enterrement

Personnages: M. Loyal et la Troupe.

M. Loyal est sur la scène, très grave. Pendant qu'il commence à parler, les comédiens entrent en cortège de pleureuses. La scène doit se dérouler comme un rituel.

LOYAL
Mesdames et messieurs, *La Corvée* s'excuse de devoir interrompre le spectacle, mais c'est l'heure.

C'est l'heure à laquelle, tous les jours, nous devons accomplir une tâche, une corvée si vous voulez, qui nous est chère. C'est l'heure à laquelle, tous les jours, nous tentons d'éliminer notre complexe minoritaire de Franco-ontarien, si farouchement accroché à nos pas.

Voilà pourquoi nous vous demandons une minute de recueillement, qui nous est indispensable pour essayer de chasser de nos vies tous les vestiges, tous les signes extérieurs, tous les vices cachés de ce complexe qui nous poursuit.

Au fur et à mesure que M. Loyal nomme les symboles, les comédiens les présentent au public avant de les donner à Monsieur Loyal qui les jettera dans une grande boîte.

LOYAL
Sa grenouille préférée sans laquelle il ne se serait jamais manifesté...

Un comédien montre une grenouille.

Le petit pain pour lequel il est né...

Un autre comédien montre un petit pain.

La soupe aux poix avec laquelle il se nourrit...

COMÉDIEN *serrant une boîte de soupe contre lui*
Non, est trop bonne!

LOYAL
Ah, excusez-moi, sa pea soup, d'abord...
Le spectre de l'assimilation qui hante toutes nos nuits...

Un comédien montre une cagoule.

La chemise carrotée...

Un comédien enlève sa chemise.

Et même la ceinture fléchée.

Comme il continue, les sanglots des comédiens se transforment lentement en rires.

LOYAL
La crainte des fanatiques...
L'idée qu'on est né sur terre pour souffrir...
La censure et surtout l'autocensure...
La peur de déranger les Anglais...
L'espoir dans le passé...
La crainte de pas parler correctement...
Les rapports sur la situation franco-ontarienne...

A ce point-ci les comédiens rient franchement.

LOYAL
L'esprit de clocher...

TROUPE
... et les batailles de paroisse.

LOYAL
Les fonctionnaires de la cause...

TROUPE
... subventionnés, institutionnalisés, récupérés.

LOYAL
Et même la cause...

TROUPE
On la remplace par la guerre!

LOYAL
On jette le Franco...

TROUPE
... on garde l'Ontarien!

LOYAL
On jette la survie...

TROUPE
On garde la vie!

La chanson de la fin

Chantée par la Troupe.

1
C'est nous La Corvée on vient de vous jouer,
Un show qu'on a monté à Vanier.
A c't'heure, c'est l'dernier des derniers;
On en fera plus des shows su'l passé!

2
L'histoire, c'est à chacun d'la faire,
On est tanné d'être des minoritaires,
Des temps passés, des temps présents,
On a le goût de regarder devant!

3
A force de chercher notre identité,
On est p'us capable, même de respirer.
Parlez-nous p'us d'assimilation,

Ni de peuple en voie d'extinction.

4
On voulait vous dire les luttes du passé.
Pour ceux qui connaissent pas et ceux qui ont oublié
Dans le prochain spectacle, on parlera p'us d'histoire.
On espère que vous s'rez là pour le voir!

PRISE DE PAROLE (INC.)
c.p. 550, Sudbury, Ontario P3E 4R2

Prise de Parole est une maison d'édition franco-ontarienne; elle se met donc au service de tous les Franco-ontariens.

La certitude que les Franco-ontariens sont capables de créer des oeuvres littéraires valables motive l'équipe qui, par son action, espère promouvoir une activité littéraire en Ontario.

Comme son nom le laisse entendre, la maison d'édition croit que ce qui n'est pas exprimé n'existe pas et elle veut encourager la prise de parole littéraire des Franco-ontariens.

LES COMMUNORDS, Claude Belcourt
1974, théâtre, 49 pages ISBN 0 920814 01 8 $2.95

DES GESTES SERONT POSES, Jocelyne Villeneuve
1977, roman, 102 pages ISBN 0 920814 06 9 $4.50

LE COFFRE, Jocelyne Villeneuve
1979, contes ISBN 0 920814 20 4 $6.95

LES CONSEQUENCES DE LA VIE, Patrice Desbiens
1977, poésie, 48 pages ISBN 0 920814 08 5 $3.95

L'ESPACE QUI RESTE, Patrice Desbiens
1977, poésie, 96 pages ISBN 0 920814 18 2 $6.95

OR(E)ALITE, Robert Dickson
1978, poésie, 48 pages ISBN 0 920814 09 3 $3.95

UNE BONNE TRENTAINE, Robert Dickson
1978, poésie, 48 pages ISBN 0 88984 044 X $4.95
publié par The Porcupine's Quill Incorporated.

EN ATTENDANT, Gaston Tremblay
1977, poésie, 48 pages ISBN 0 920814 05 0 $3.95

SOUVENANCES, Gaston Tremblay
1979, poésie, 48 pages ISBN 0 920814 19 0 $4.95

POEMES 1960-1975, Richard Casavant
1978, poésie, 144 pages ISBN 0 920814 10 7 $7.95

KITTY, Marguerite Whissel-Tregonning
1978, biographie, 244 pages ISBN 0 920814 11 5 $9.95

THEATRE, André Paiement
1978, collection de luxe, 300 pages ISBN 0 920814 12 3 $29.95
collection commerciale, 300 pages ISBN 0 920814 13 1 $15.00
Volume 1, 132 pages ISBN 0 920814 13 1 $6.00
Volume 2, 72 pages ISBN 0 920814 14 X $5.00
Volume 3, 96 pages ISBN 0 920814 15 8 $5.50
Affiche, $2.00

DIX-ONZE, Alexandre L. Amprimoz
1979, poésie, 64 pages ISBN 0 920814 17 4 $6.25

LES PERCE-NEIGE
Volume 1, A PERCE-POCHE, Danielle Martin
1979, poésie, 48 pages ISBN 0 920814 16 6 $3.95
Volume 2, AU SOLEIL DU SOUFFLE, Andrée Lacelle-Bourdon
1979, poésie, 48 pages ISBN 0 920814 21 2 $3.95
Volume 3, LES MURS DE NOS VILLAGES, Jean Marc Dalpé
1980, poésie, 48 pages ISBN 0 920814 24 7 $3.95

ROBERT PAQUETTE, Robert Paquette et Paul Tanguay,
1980, essai et musique, 80 pages ISBN 0 920814 23 9 $9.95

PORQUIS JUNCTION, Sylvie Trudel
1980, théâtre, 64 pages ISBN 0 920814 28 X $5.95

LA PAROLE ET LA LOI, La Corvée
1980, théâtre, 80 pages ISBN 0 920814 26 3 $6.95

LA VENGEANCE DE L'ORIGNAL, Doric Germain
1980, roman, 112 pages ISBN 0 920814 27 1 $7.95

REVUE DU NOUVEL-ONTARIO
dirigée par l'Institut franco-ontarien
no. 2: Politique et syndicalisme: réalités négligées en Ontario français,
1979, essais, $4.00